1 ロボットの名前《なまえ》

ロボットの名前《なまえ》です。ワークシートの「わたしは、」ではじまる文《ぶん》を書《か》くときに、ここを見《み》ましょう。

2 「こんなロボットです。」

どんなロボットか、かんたんにせつ明《めい》しています。ワークシートの「このロボットは、」ではじまる文《ぶん》を書《か》くときに、ここをさん考《こう》にしましょう。

3 「どんなときに、何《なに》をたすけてくれるのでしょうか。」

ロボットが、どのようにはたらくかが書《か》かれています。ワークシートの「このロボットがあれば、」を書《か》くときに、ここをさん考《こう》にしましょう。

4 ロボットのはたらき

どこに、どのようなはたらきがあるかが書《か》かれています。ワークシートの「このロボットがあれば、」を書《か》くときに、ここもさん考《こう》にしましょう。

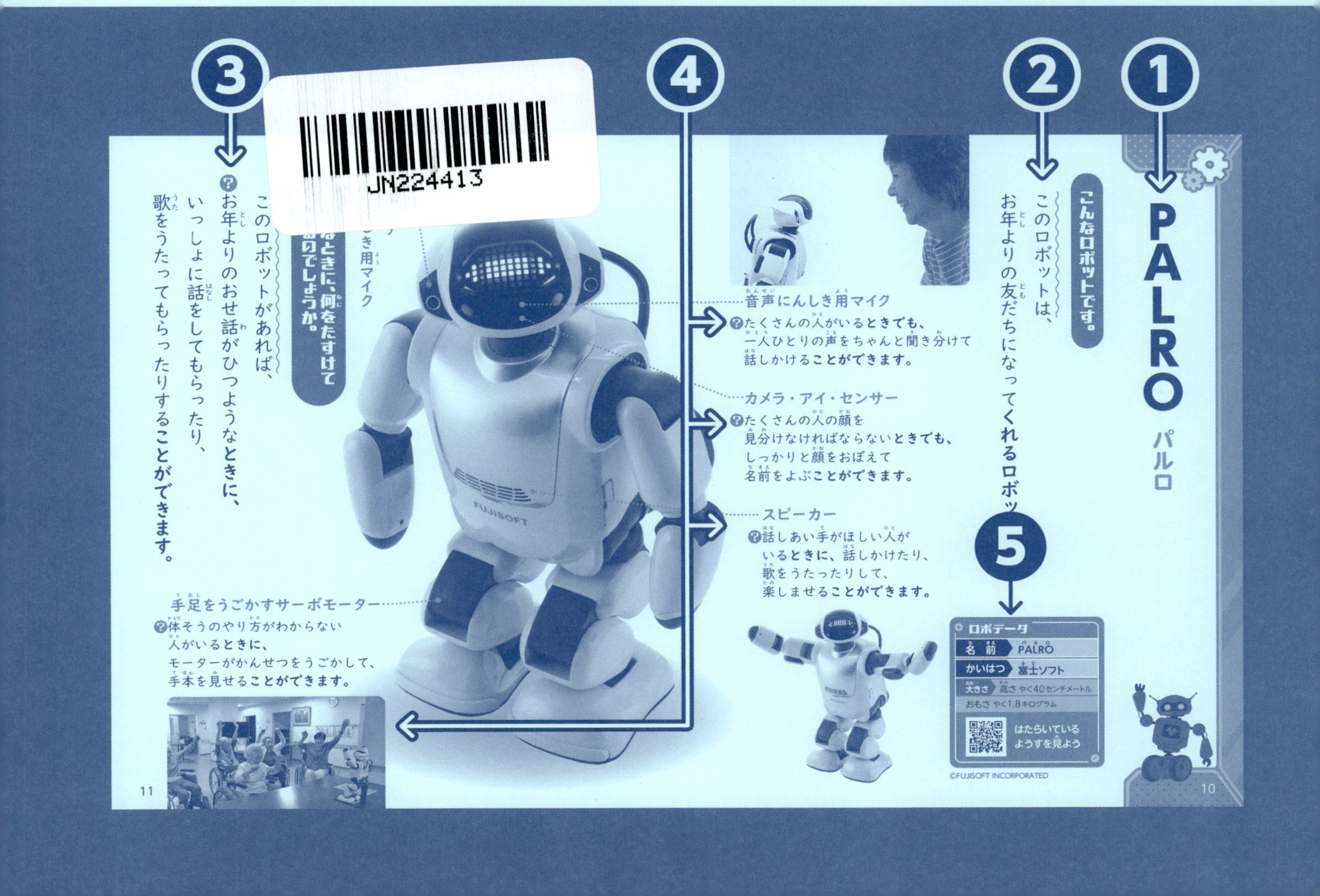
1
2
3
4
5
PALRO
パルロ
こんなロボットです。
このロボットは、お年《とし》よりの友《とも》だちになってくれるロボッ
音声《おんせい》にんしき用《よう》マイク
たくさんの人《ひと》がいるときでも、一人《ひとり》ひとりの声《こえ》をちゃんと聞《き》き分《わ》けて話《はな》しかけることができます。
カメラ・アイ・センサー
たくさんの人《ひと》の顔《かお》を見分《みわ》けなければならないときでも、しっかりと顔《かお》をおぼえて名前《なまえ》をよぶことができます。
スピーカー
話《はな》しあい手《て》がほしい人《ひと》がいるときに、話《はな》しかけたり、歌《うた》をうたったりして、楽《たの》しませることができます。
このロボットがあれば、
お年《とし》よりのお世話《わ》がひつようなときに、いっしょに話《はなし》をしてもらったり、歌《うた》をうたってもらったりすることができます。
手足《てあし》をうごかすサーボモーター
体《からだ》そうのやり方《かた》がわからない人《ひと》がいるときに、モーターがかんせつをうごかして、手本《てほん》を見《み》せることができます。
ロボデータ
名前《なまえ》 PALRO《パルロ》
かいはつ 富士《ふじ》ソフト
大《おお》きさ 高《たか》さ やく40センチメートル
おもさ やく1.8キログラム
はたらいているようすを見《み》よう
©FUJISOFT INCORPORATED
11
10

みんなをたすける

ロボットずかん

3

とくべつな場《ば》しょ

監修《かんしゅう》

先川原正浩《さきがわらまさひろ》

千葉《ちば》工業大学《こうぎょうだいがく》未来《みらい》ロボット技術研究《ぎじゅつけんきゅう》センター(fuRo《フューロ》)室長《しつちょう》

汐文社
ちょう ぶん しゃ

はじめに

さあ、ロボットのことをしらべましょう！

ロボットは、わたしたちをたすけてくれる、
かしこいきかいです。
この『みんなをたすける　ロボットずかん』シリーズには、
さまざまな場《ば》しょで人《ひと》をたすけてくれる
ロボットたちがとう場《じょう》します。
それぞれのロボットは、どこがすごいのか、
どんなときに、何《なに》をしてたすけてくれるのかをしらべ、
これからどんなロボットがひつようになるかについて、
いっしょに考《かんが》えてみましょう！

この本《ほん》では、「とくべつな場《ば》しょ」でみんなをたすけてくれる
ロボットを、しょうかいしています。
工場《こうじょう》や作《さ》ぎょうげん場《ば》、田《た》はた、水《みず》の中《なか》、うちゅうなどでは、
どんなロボットが活《かつ》やくしているのでしょうか。

もくじ

＊ロボデータの下《した》の©をつけたものは、
それぞれのしゃしんのていきょう先《さき》の名前《なまえ》です。

どう画《が》などが見《み》られるQR《キューアール》コードのつかい方《かた》

この本《ほん》には、それぞれのロボットのデータがわかる「ロボデータ」というコーナーがあります。そこにロボットのようすを見《み》ることができるQR《キューアール》コードをのせています。見《み》たいときは、スマートフォンやタブレットのカメラでQR《キューアール》コードを読《よ》みとってください。

＊QRコードは、(株)デンソーウェーブの登録商標です。

多機能鉄道重機《たきのうてつどうじゅうき》

こんなロボットです。

このロボットは、二本《にほん》のアームをつかって てつ道《どう》の工《こう》じをして**くれるロボットです。**

どんなときに、何《なに》をたすけてくれるのでしょうか。

このロボットがあれば、

? 高《たか》いところにあるてつ道《どう》のか線《せん》がしゅう理《り》がひつようになった**ときでも、**すばやく作《さ》ぎょうをしてもらう**ことができます。**

夜中《よなか》も作《さ》ぎょうできる
強力《きょうりょく》なライト

ロボデータ

名《な》前《まえ》	多機能鉄道重機《たきのうてつどうじゅうき》
かいはつ	ＪＲ《ジェイアール》西日本《にしにほん》/日本信号《にっぽんしんごう》/人機一体《じんきいったい》
大《おお》きさ	高《たか》さ やく190センチメートル
	おもさ やく500キログラム

はたらいている
ようすを見《み》よう

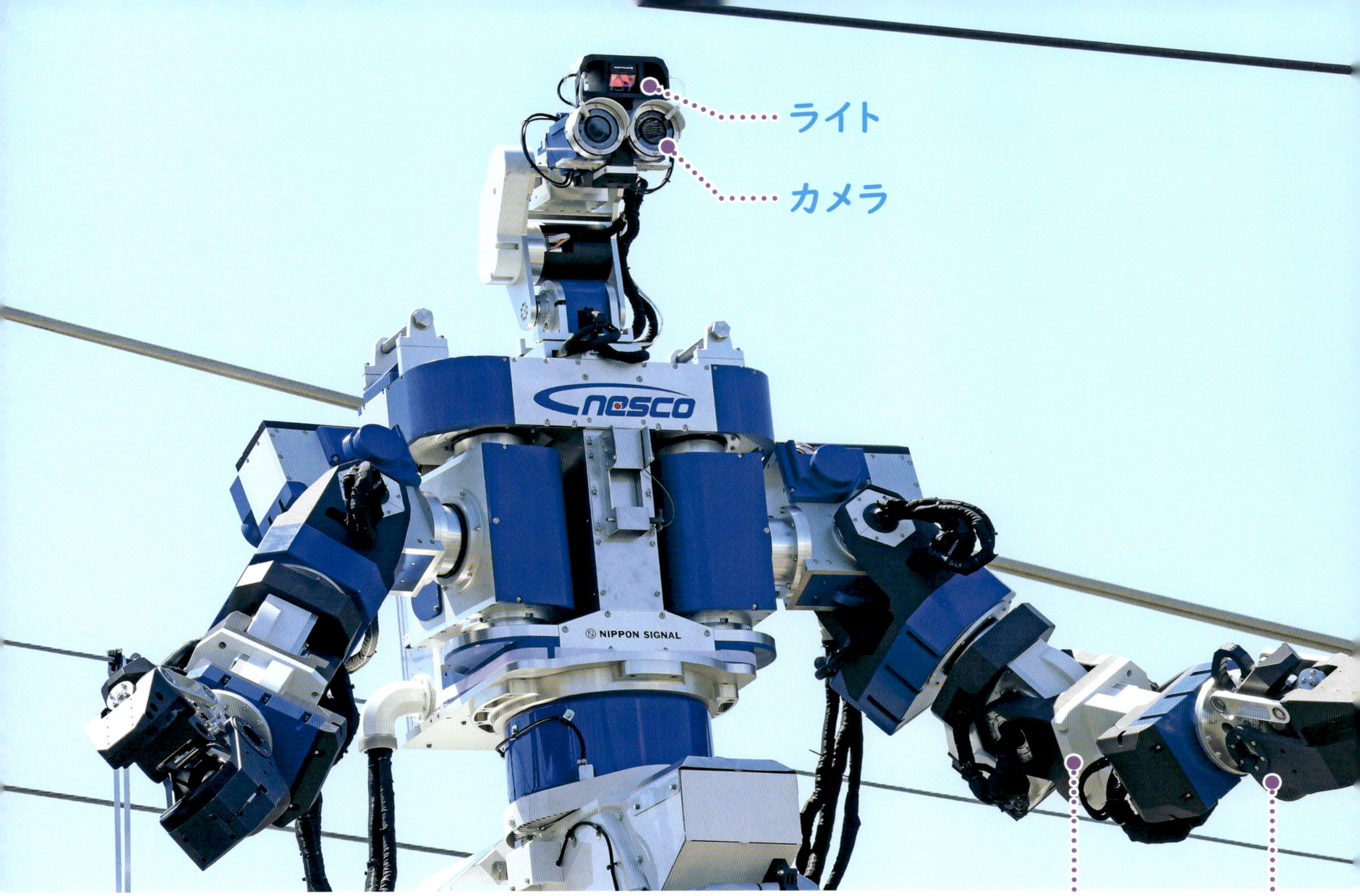

力《ちから》の強《つよ》いアームと
やさしくつかむハンド

高《たか》い場《ば》しょにおもいものを
とりつける**ときでも、**
かるがるとアームでもち上《あ》げ、
ハンドでこわさないように
とりつける**ことができます。**

てつ道工《どうこう》じ用《よう》
車《しゃ》りょう

そうじゅう室《しつ》

このロボットのもとになった
「零式人機《れいしきじんき》 ver.2.0《バージョンにてんぜろ》」

TawaRemo
タワリモ

こんなロボットです。

このロボットは、大《おお》きなクレーンを遠《とお》くからそうじゅうできるようにして**くれるロボットです。**

どんなときに、何《なに》をたすけてくれるのでしょうか。

このロボットがあれば、

クレーンがふあんていな高《たか》いビルの上《うえ》にある**ときでも、**地上《ちじょう》であんぜんに作《さ》ぎょうをする**ことができます。**

クレーンのゆれがわかるコクピット

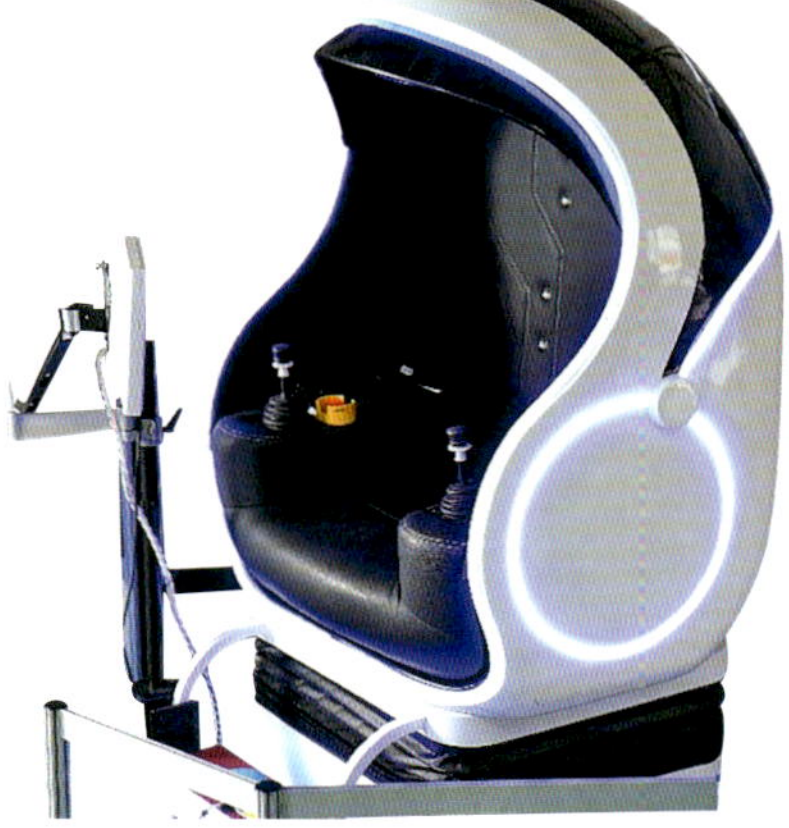

ロボデータ

名《な》前《まえ》	TawaRemo《タワリモ》
かいはつ	竹中工務店《たけなかこうむてん》/鹿島建設《かじまけんせつ》/アクティオ
大《おお》きさ	高《たか》さ やく200センチメートル
	おもさ やく300キログラム

はたらいているようすを見《み》よう

クレーンからのえいぞうをうつすモニター

地上《ちじょう》からでは見《み》えない高《たか》いビルの工《こう》じをする**ときに、**クレーンのカメラからえいぞうをとどけて、あんぜんな工《こう》じの手《て》だすけをする**ことができます。**

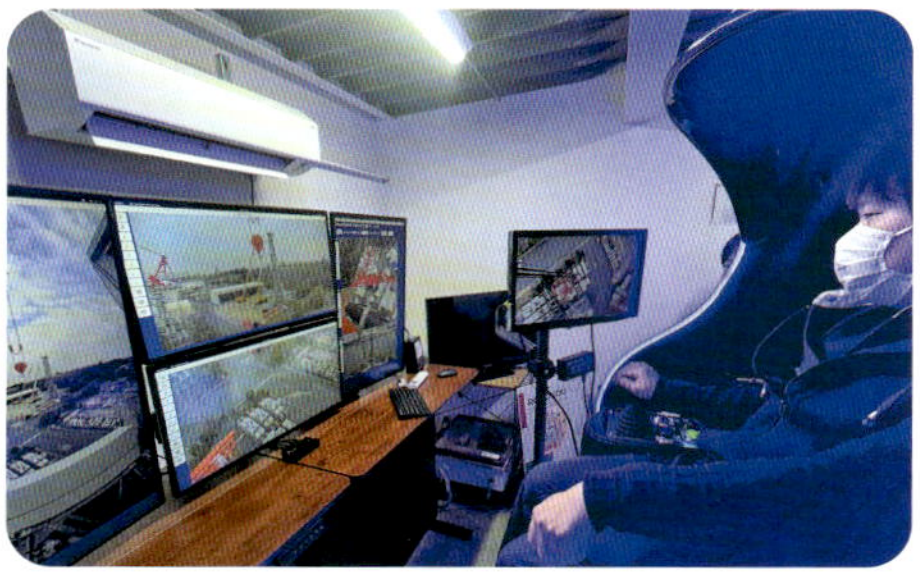

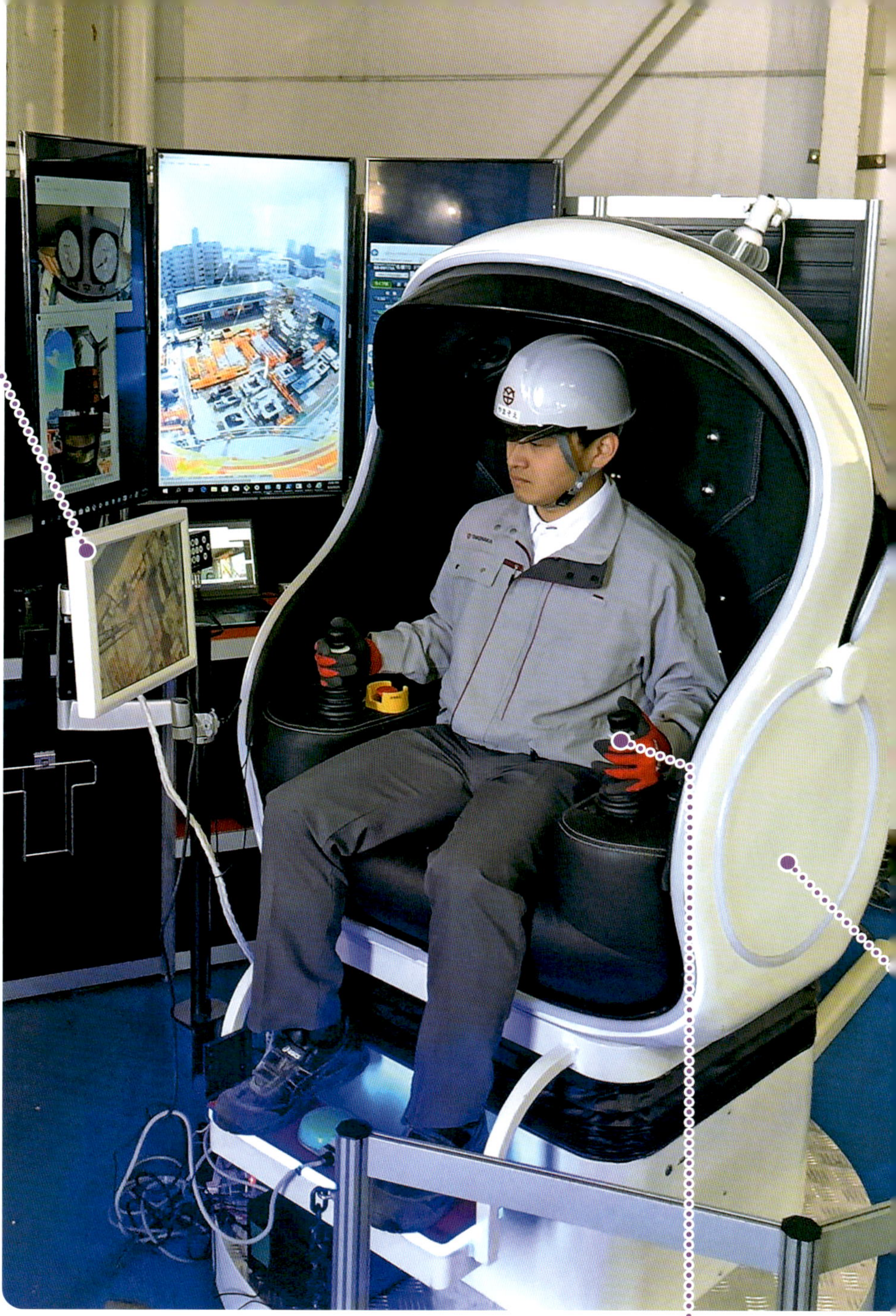

しんどうのつたわるそうじゅうかん

クレーンを細《こま》かくうごかさないといけないような作《さ》ぎょうをする**ときでも、**手《て》ごたえがそうじゅうかんにつたわるので、正《ただ》しい作《さ》ぎょうの手《て》だすけをする**ことができます。**

Soryu-C
ソーリュー シー

こんなロボットです。

このロボットは、へびのようなうごきでせまい空間《くうかん》をしらべて**くれるロボットです。**

どんなときに、何《なに》をたすけてくれるのでしょうか。

このロボットがあれば、水道《すいどう》かんの中《なか》のようすを知《し》りたい**ときに、**えいぞうでかくにんする**ことができます。**

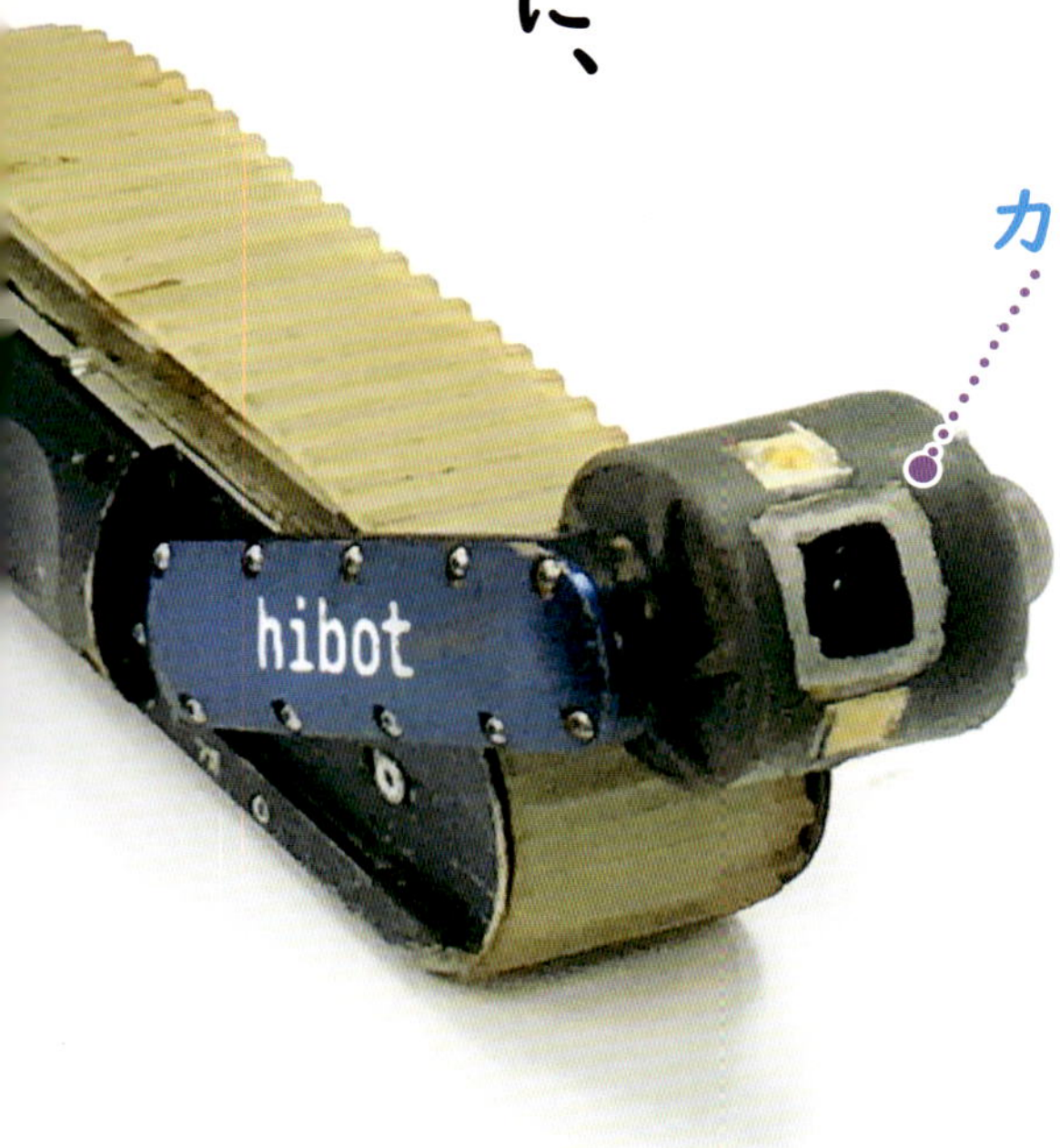

ロボデータ

名《な》 前《まえ》	Soryu-C《ソーリュー シー》
かいはつ	ハイボット
大《おお》きさ	長《なが》さ やく172センチメートル
	おもさ やく10.5キログラム

はたらいているようすを見《み》よう

へびのようにすすむモジュール

ふくざつにまがってすすみにくい細《ほそ》いあなの中《なか》のけんさをする**ときでも、**くねくねしたうごきで入《はい》って行《い》き、しらべる**ことができます。**

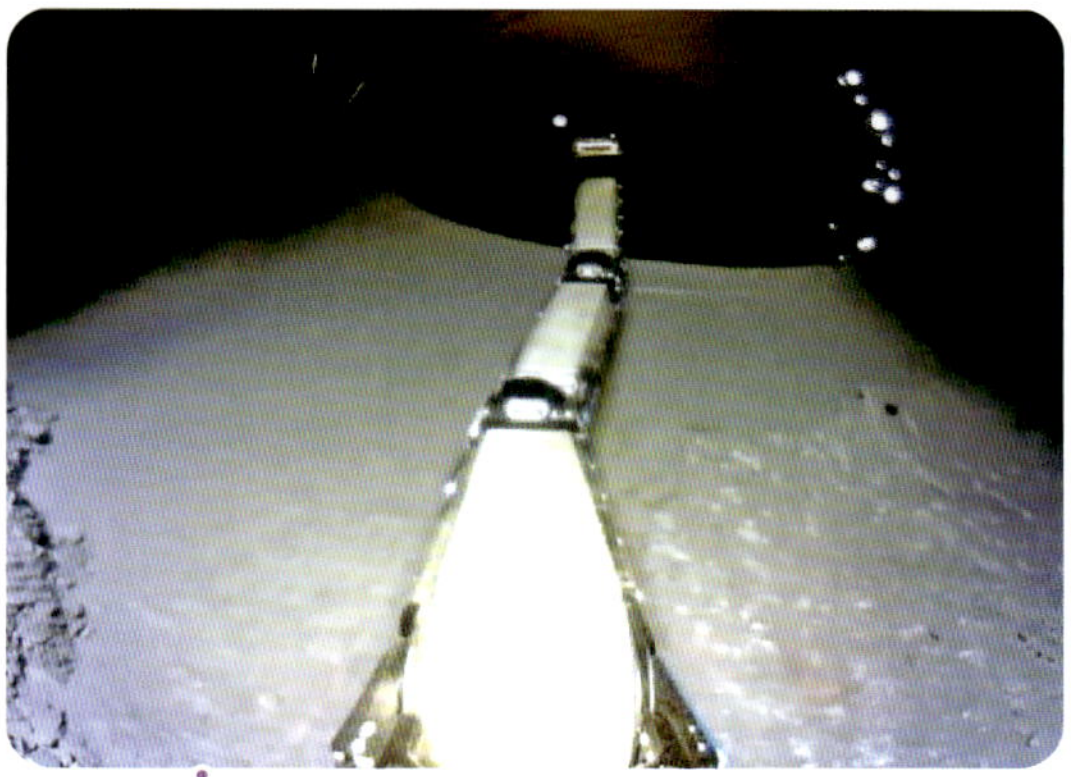

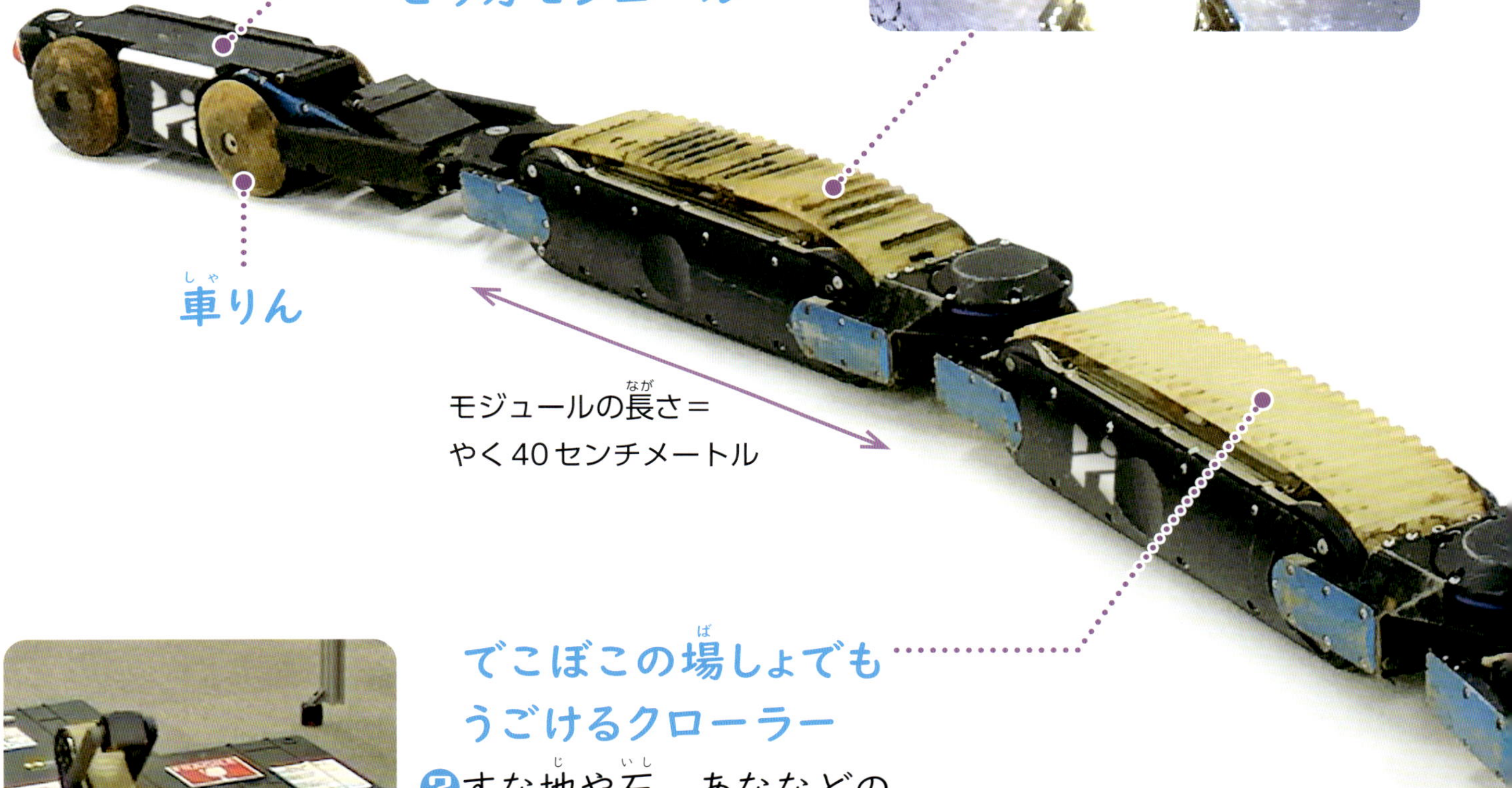

どう力《りょく》モジュール

車《しゃ》りん

モジュールの長《なが》さ＝
やく40センチメートル

でこぼこの場《ば》しょでもうごけるクローラー

すな地《じ》や石《いし》、あななどのしょうがいぶつがある場《ば》しょをしらべる**ときでも、**のりこえてすすみ、けんさをする**ことができます。**

Spot
スポット

こんなロボットです。

このロボットは、四本《よんほん》の足《あし》でうごき回《まわ》り点《てん》けんやけんさをして**くれるロボットです。**

どんなときに、何《なに》をたすけてくれるのでしょうか。

このロボットがあれば、

広《ひろ》くてふくざつな場《ば》しょを点《てん》けんする**ときに、**すみずみまで見回《みまわ》ってもらう**ことができます。**

空気《くうき》もれを見《み》つけるカメラ

パイプからの空気《くうき》もれがあった**ときに、**タブレットにデータをおくり（右《みぎ》）、もれている場《ば》しょを知《し》らせる**ことができます。**

ロボデータ

名《な》前《まえ》	Spot《スポット》
かいはつ	Boston Dynamics《ボストンダイナミクス》
大《おお》きさ	高《たか》さ やく61センチメートル（歩《ある》くとき）
	おもさ やく32.7キログラム

はたらいているようすを見《み》よう

＊協力《きょうりょく》／東北《とうほく》エンタープライズ

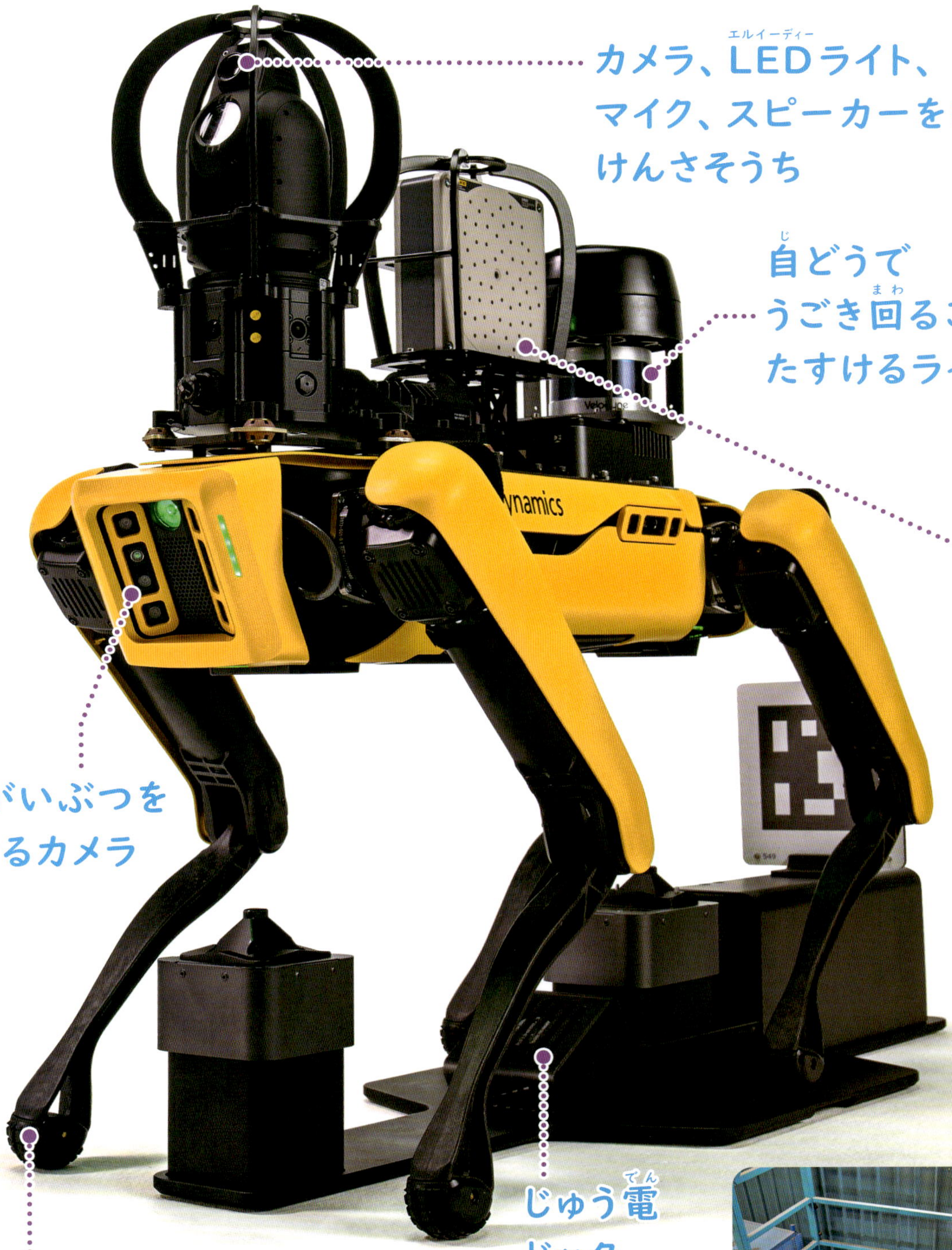
カメラ、LED《エルイーディー》ライト、
マイク、スピーカーをもつ
けんさそうち
自《じ》どうで
うごき回《まわ》ることを
たすけるライダー
しょうがいぶつを
見《み》つけるカメラ
じゅう電《でん》
ドック
かいだんもじょうずに上《あ》がれる四本《よんほん》の足《あし》

？かいだんをつかうしかないふべんな場《ば》しょで
点《てん》けんする**ときでも、**上《あ》がったり、
下《お》りたりしながら、けんさをする**ことができます。**

EX ROVR
エクス ローバー

こんなロボットです。

このロボットは、あんぜんをまもる点《てん》けんをして**くれるロボットです。**

どんなときに、何《なに》をたすけてくれるのでしょうか。

このロボットがあれば、

ガスもれがあった**ときに、**原《げん》いんをしらべることで、じこをふせいでもらう**ことができます。**

ガスのこさをしらべるガスけん知《ち》き

ガスもれを見《み》つけた**ときに、**どのくらいもれたかをはんだんするために、空気《くうき》にどれだけガスがふくまれているかをしらべる**ことができます。**

ロボデータ

名《な》前《まえ》	EX ROVR《エクス ローバー》
かいはつ	三菱重工業《みつびしじゅうこうぎょう》
大《おお》きさ	高《たか》さ やく60センチメートル
	おもさ やく70キログラム

はたらいているようすを見《み》よう

＊上《うえ》のＱＲ《キューアール》コードを読《よ》みとるとＰＤＦ《ピーディーエフ》がダウンロードされます。

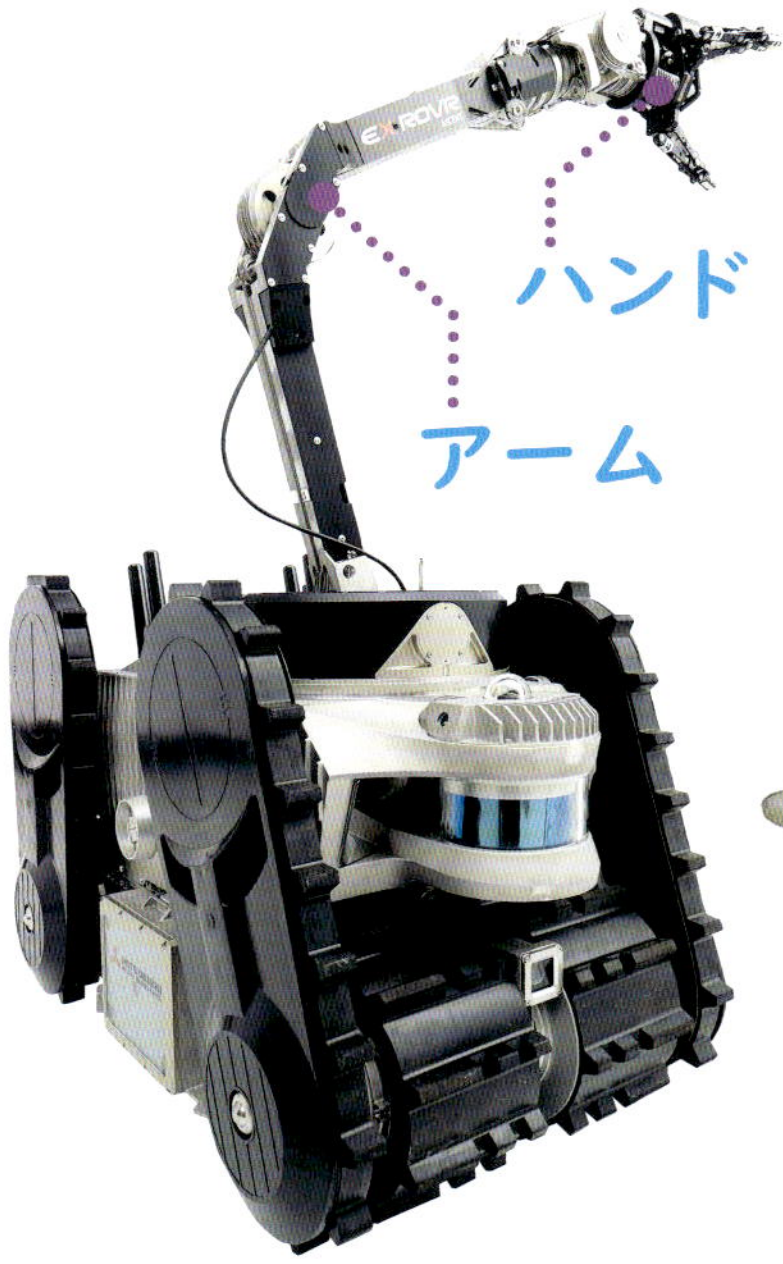

ハンド

アーム

細《こま》かいぶ分《ぶん》をしらべるカメラ

?細《こま》かなひびやパイプからの
水《みず》やあぶらなどのもれがあった**ときに、**
アームを九十《きゅうじゅう》センチメートルまでのばして、
カメラでかくにんする**ことができます。**

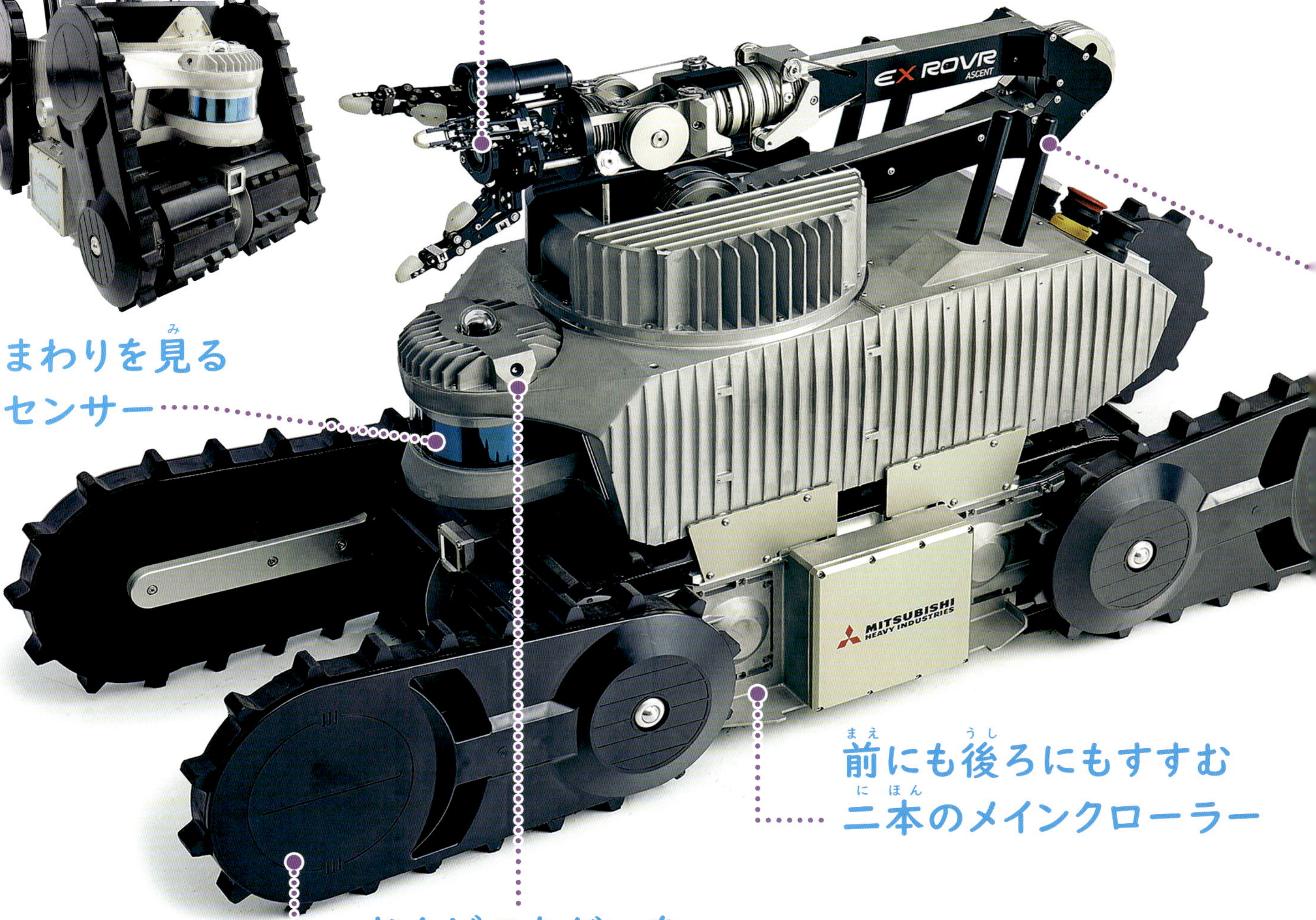

まわりを見《み》る
センサー

前《まえ》にも後《うし》ろにもすすむ
二本《にほん》のメインクローラー

おんどのちがいを
しらべるねつ画《が》ぞうカメラ

かいだんも上《のぼ》り下《お》りできる四本《よんほん》のサブクローラー

?たてもののおくにきけんがひそむ**ときでも、**
メインクローラーといっしょにうごいて、
でこぼこしたところやかいだんを上《のぼ》り下《お》りしながら、
点《てん》けんする**ことができます。**

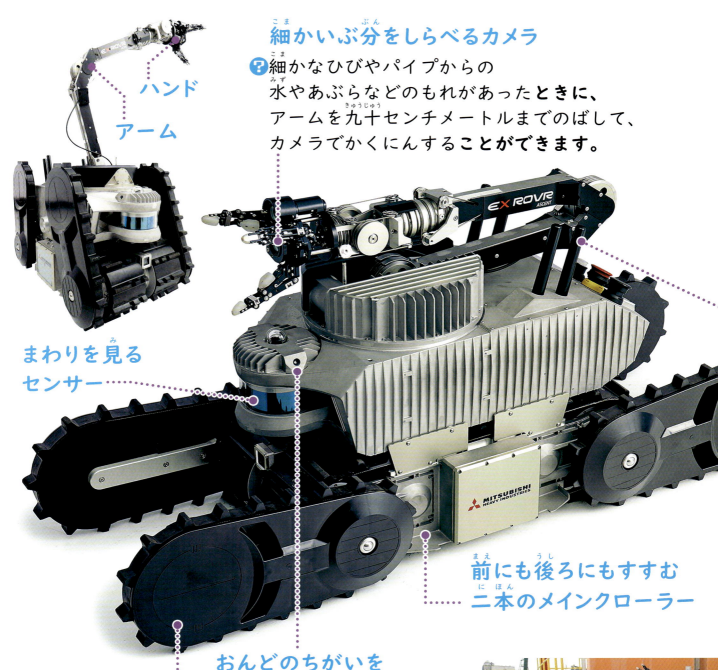

MOTOMAN-HC《モートマン エイチシー》

こんなロボットです。

このロボットは、工場《こうじょう》で人《ひと》のかわりに作《さ》ぎょうをして**くれるロボットです。**

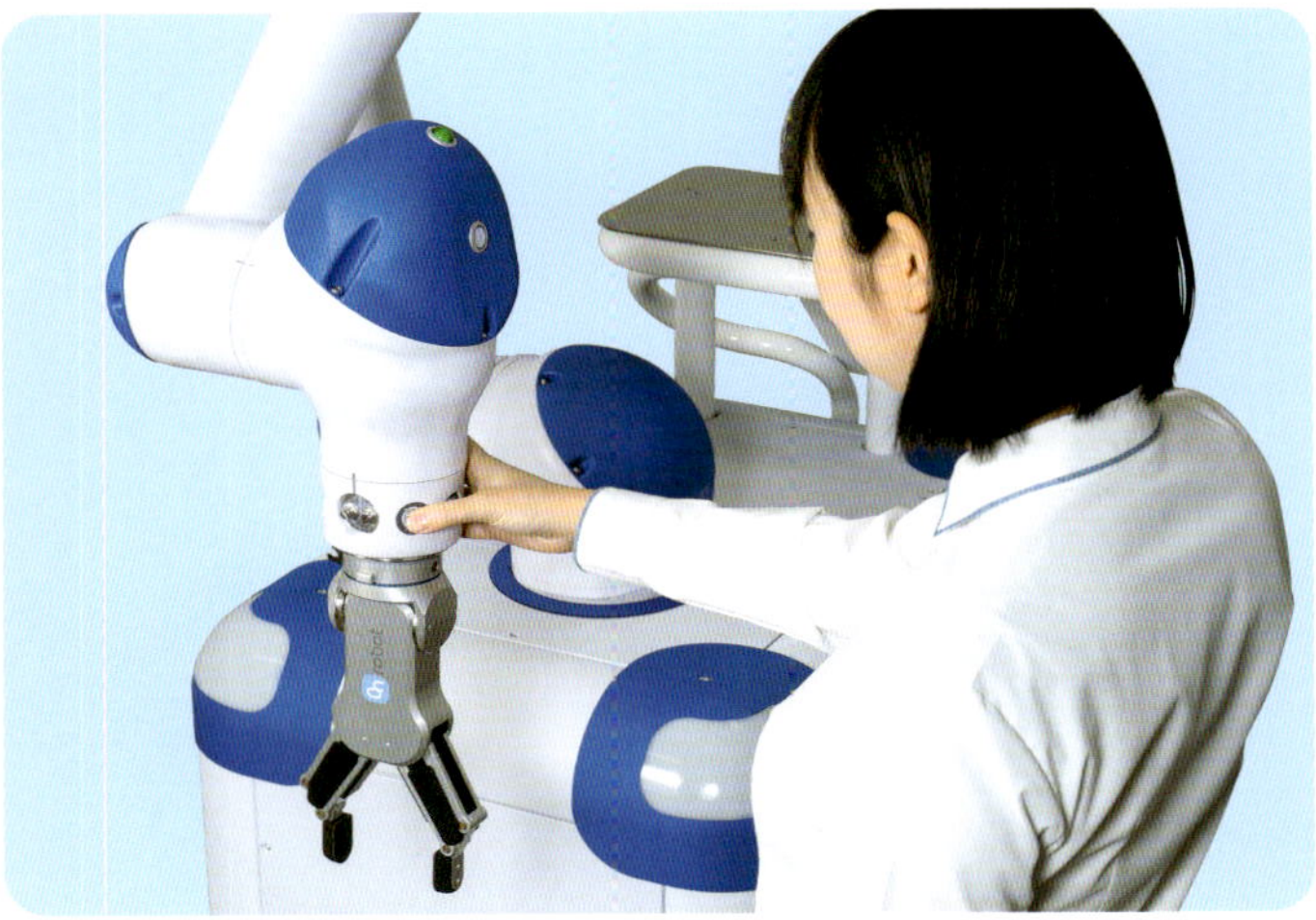

作《さ》ぎょうを教《おし》えられるアーム

ふくざつな作《さ》ぎょうをする**ときでも、**アームの先《さき》にあるボタンをおすだけで、作《さ》ぎょうをおぼえてはたらく**ことができます。**

アームの先《さき》にとりつけた作《さ》ぎょう用《よう》のそうち

ロボデータ

名《な》前《まえ》	MOTOMAN-HC《モートマンエイチシー》
かいはつ	安川電機《やすかわでんき》
大《おお》きさ	高《たか》さ やく1メートル
	おもさ やく48キログラム

はたらいているようすを見《み》よう

どんなときに、何《なに》をたすけてくれるのでしょうか。

このロボットがあれば、
❓工場《こうじょう》がせまい**ときでも、**
ロボットといっしょに
はたらく**ことができます。**

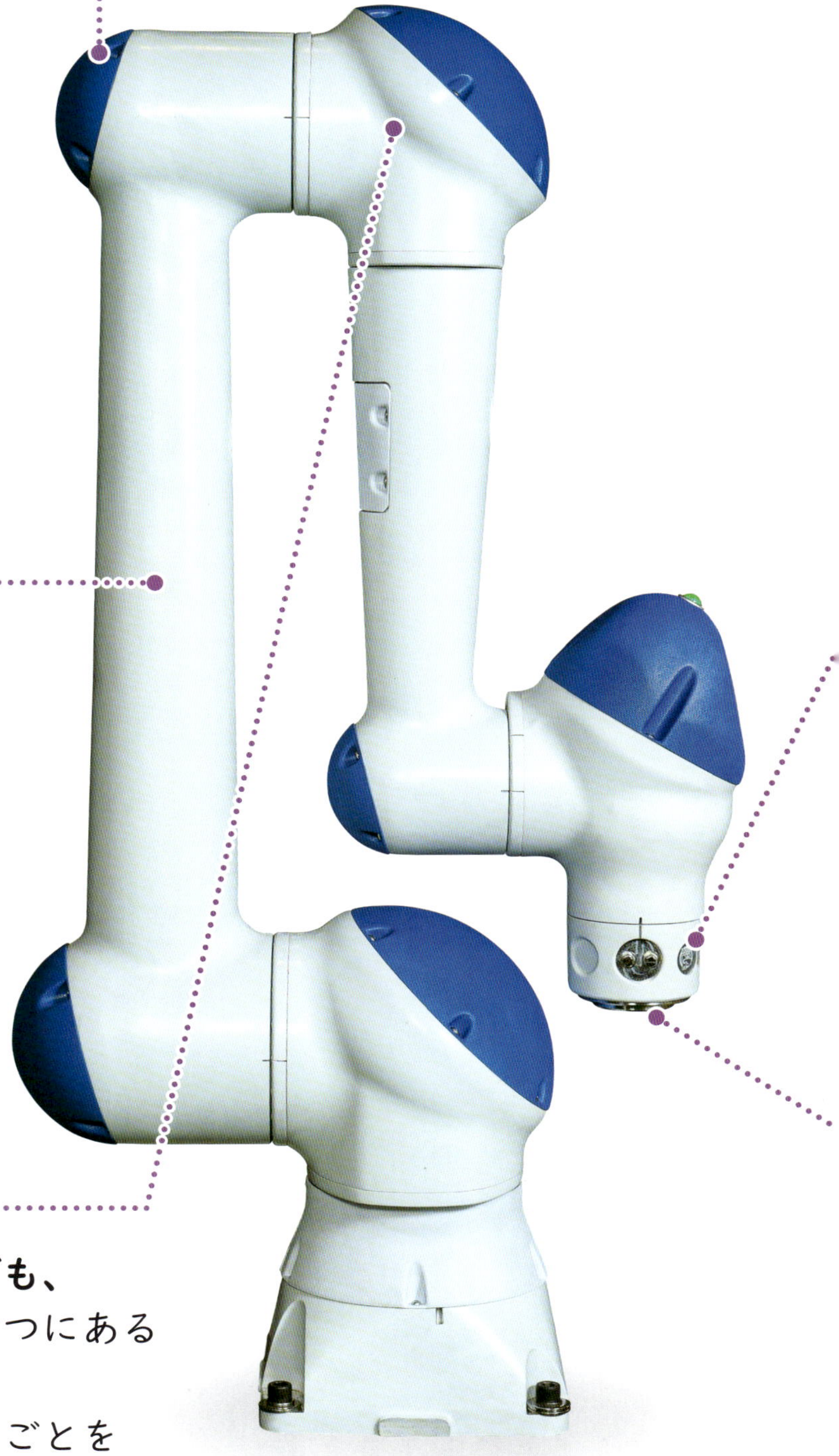

六本《ろっぽん》のアームを
自《じ》ゆう自《じ》ざいにうごかす
六《む》つのかんせつ
アーム
人《ひと》やものにふれると
知《し》らせてくれるセンサー

❓せまいところで作《さ》ぎょうする**ときでも、**
人《ひと》やものにふれると、六《む》つのかんせつにある
センサーがすぐに知《し》らせて
うごきを止《と》めるので、あんぜんにしごとを
する**ことができます。**

AC101《エーシー イチマルイチ》 connect《コネクト》

こんなロボットです。

このロボットは、空《そら》から
のうやくやひりょうをまいて**くれる**
ロボットです。

自《じ》ゆうにとぶための
四《よん》まいのプロペラ

❓広《ひろ》い田《た》やはたけにのうやくや
ひりょうをまく**ときに、**
思《おも》った通《とお》りの場《ば》しょに
すばやくいどうしたり、
空中《くうちゅう》にてい止《し》したりしながら、
作《さ》ぎょうする**ことができます。**

のうやくや
えき体《たい》のひりょうを
まくそうち

ロボデータ

名《な》前《まえ》	AC101 connect《エーシーイチマルイチ コネクト》
かいはつ	NTT e-Drone Technology《エヌティーティー イー ドローン テクノロジー》
大《おお》きさ	高《たか》さ やく67.6センチメートル
おもさ やく6.3キログラム(本体《ほんたい》のみ)	

はたらいている
ようすを見《み》よう

どんなときに、何《なに》をたすけてくれるのでしょうか。

このロボットがあれば、
?がい虫《ちゅう》やびょう気《き》のひがいが心《しん》ぱいな**ときに、**米《こめ》や野《や》さいをまもってもらう**ことができます。**

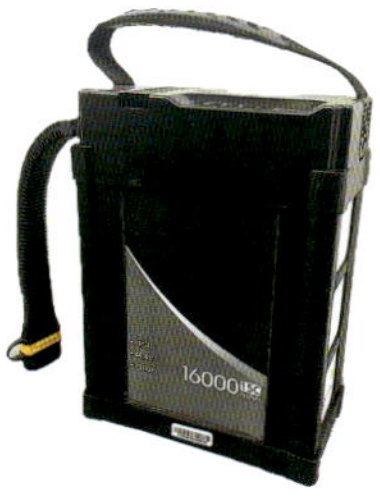

長《なが》い時間《じかん》とべるバッテリー

?のうやくやひりょうを長時間《ちょうじかん》まかなければならない**ときでも、**さい長《ちょう》で三十分間《さんじっぷんかん》、とびつづけてまく**ことができます。**

前方《ぜんぽう》を見《み》るためのカメラ

のうやくやえき体《たい》のひりょうをつむタンク

タンクののうやくやえき体《たい》のひりょうを、まくそうちにおくるそうち

トマト収穫ロボット

トマトしゅうかくロボット

こんなロボットです。

このロボットは、食《た》べごろのトマトをえらんでしゅうかくして**くれるロボットです。**

しゅうかくする場《ば》しょにいどうするための車《しゃ》りんとレール

しゅうかくしたトマトを入《い》れるバスケット

ロボデータ

名《な》前《まえ》	トマト収穫《しゅうかく》ロボット
かいはつ	Panasonic Holdings《パナソニック ホールディングス》
大《おお》きさ	高《たか》さ やく180センチメートル
	おもさ やく180キログラム

はたらいているようすを見《み》よう

どんなときに、何《なに》をたすけてくれるのでしょうか。

このロボットがあれば、
おいしいトマトを食《た》べたい**ときに、**
じゅくしぐ合《あい》を見《み》分《わ》けながら
しゅうかくしてもらう**ことができます。**

みをきずつけずに切《き》りとるリング

みのやわらかいトマトをきずつけずにあつめたい**ときに、**
アームの先《せん》たんにあるリングをつかうことで、じょうずにしゅうかくする**ことができます。**

じゅくしぐ合《あい》をうつすカメラ

どのみがおいしくじゅくしているかがわからない**ときでも、**
ロボットについているカメラの画《が》ぞうをAI《エーアイ》がしらべて、はんだんする**ことができます。**

DiveUnit300《ダイブユニットさんびゃく》

こんなロボットです。

このロボットは、水《みず》の中《なか》にもぐって
ちょうさや点《てん》けんをして**くれる**
ロボットです。

どんなときに、何《なに》をたすけてくれるのでしょうか。

このロボットがあれば、
ふかい海《うみ》のそこのようすを
知《し》りたい**ときに、**えいぞうで
かくにんする**ことができます。**

自《じ》ゆうにうごいて止《と》まれる七《なな》つのスクリュー

ながれがはやい海《うみ》や川《かわ》で
作《さ》ぎょうをする**ときでも、**
細《こま》かくうごいたり、
止《と》まったりしながら、
点《てん》けんする**ことができます。**

ロボデータ

名《な》前《まえ》	DiveUnit300《ダイブユニットさんびゃく》
かいはつ	FullDepth《フルデプス》
大《おお》きさ	高《たか》さ やく37センチメートル
	おもさ やく29キログラム

はたらいている
ようすを見《み》よう

©FullDepth

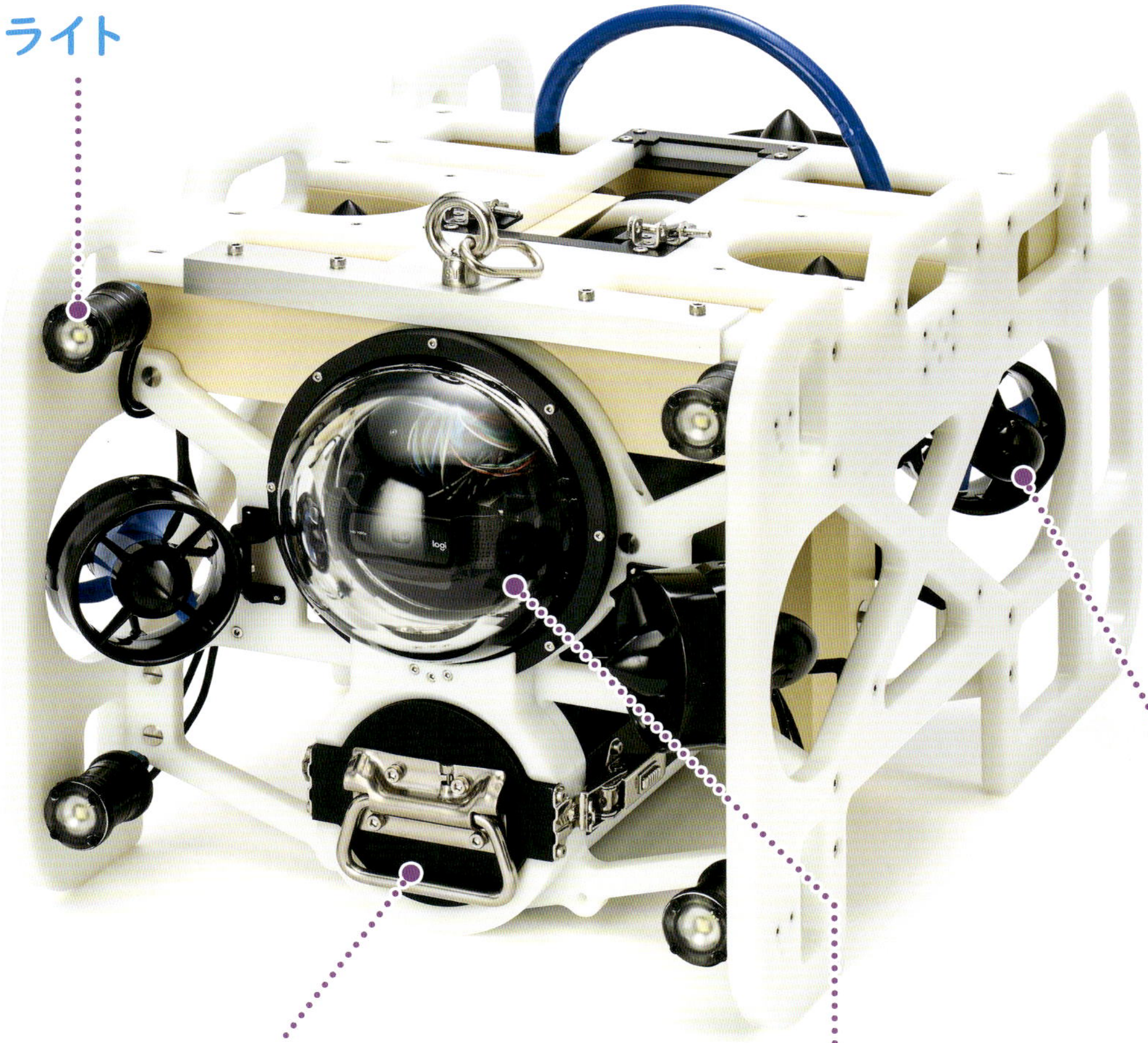

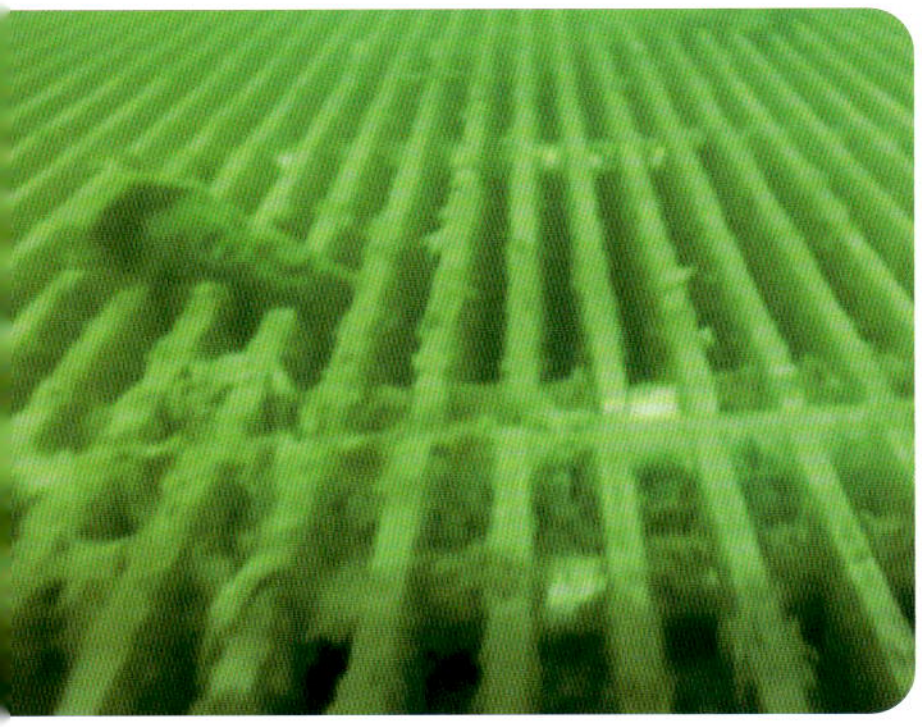

海《うみ》のそこのえび（右《みぎ》）や
水中《すいちゅう》のせつび（左《ひだり》）も
さつえいできるカメラ

❓ふかい海《うみ》をしらべたい**ときに、**三百《さんびゃく》メートルまでもぐって、ちょうさする**ことができます。**

Kaleido
カレイド

こんなロボットです。

このロボットは、人《ひと》と同《おな》じうごきで
はたらいて**くれるロボットです。**

どんなときに、何《なに》をたすけてくれるのでしょうか。

このロボットがあれば、
大《おお》きなさいがいがおこって
うごけなくなった**ときでも、**
家《いえ》の中《なか》までかけつけて
たすけてもらう**ことができます。**

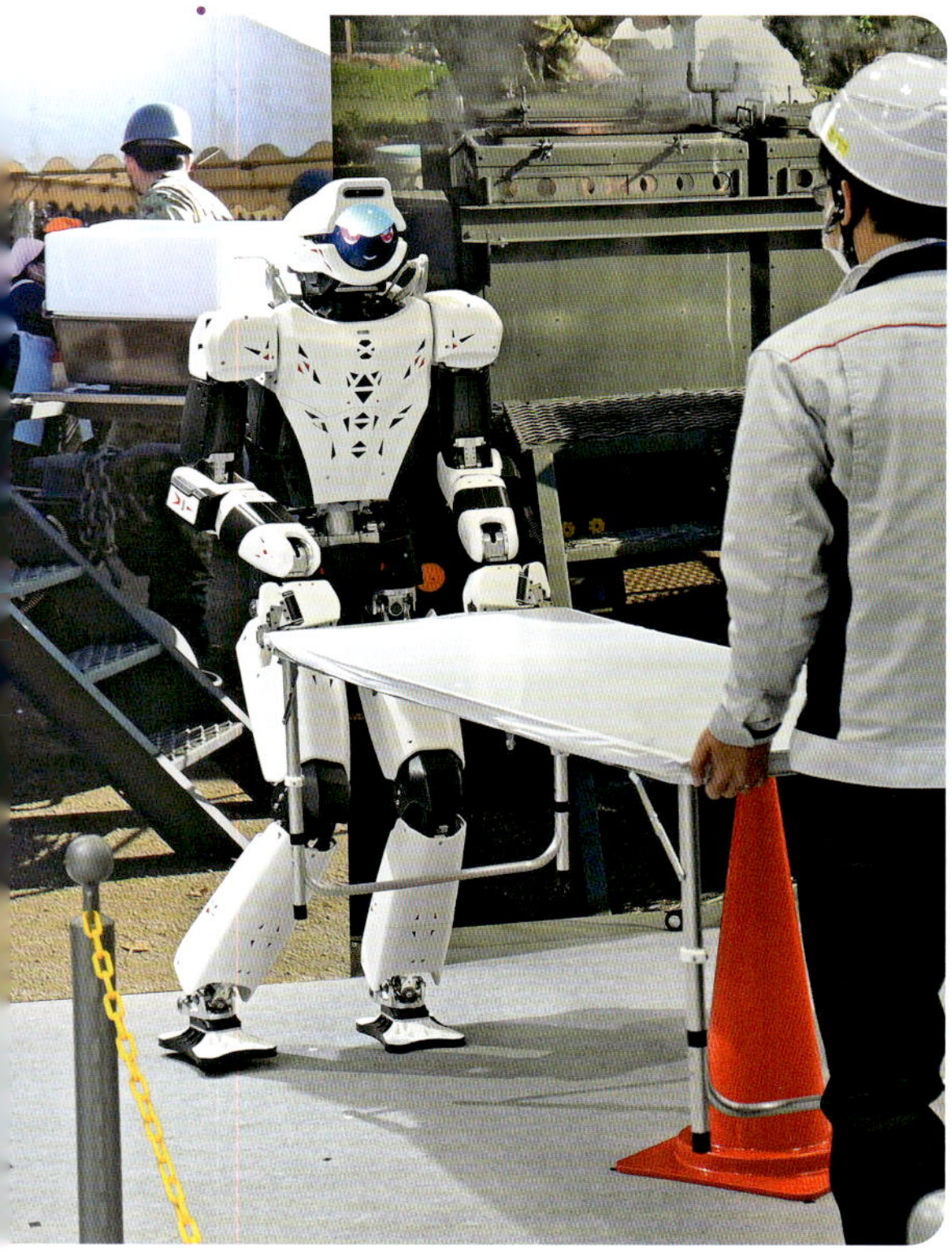

力《ちから》もちのアーム

家《か》ぐなどの下《した》じきになっている
人《ひと》がいる**ときに、**
しょうがいぶつをもち上《あ》げて、
たすける**ことができます。**

ロボデータ

名《な》前《まえ》	Kaleido《カレイド》
かいはつ	川崎重工業《かわさきじゅうこうぎょう》
大《おお》きさ	高《たか》さ やく180センチメートル
	おもさ やく86キログラム

はたらいているようすを見《み》よう

絵《え》と文字《もじ》でつたえる プロジェクター

さいがいにあった人《ひと》をたすけたり、ものをかたづけたりする**ときに、**いろいろな顔《かお》や言《こと》ばをうつし出《だ》して、あい手《て》をあん心《しん》させる**ことができます。**

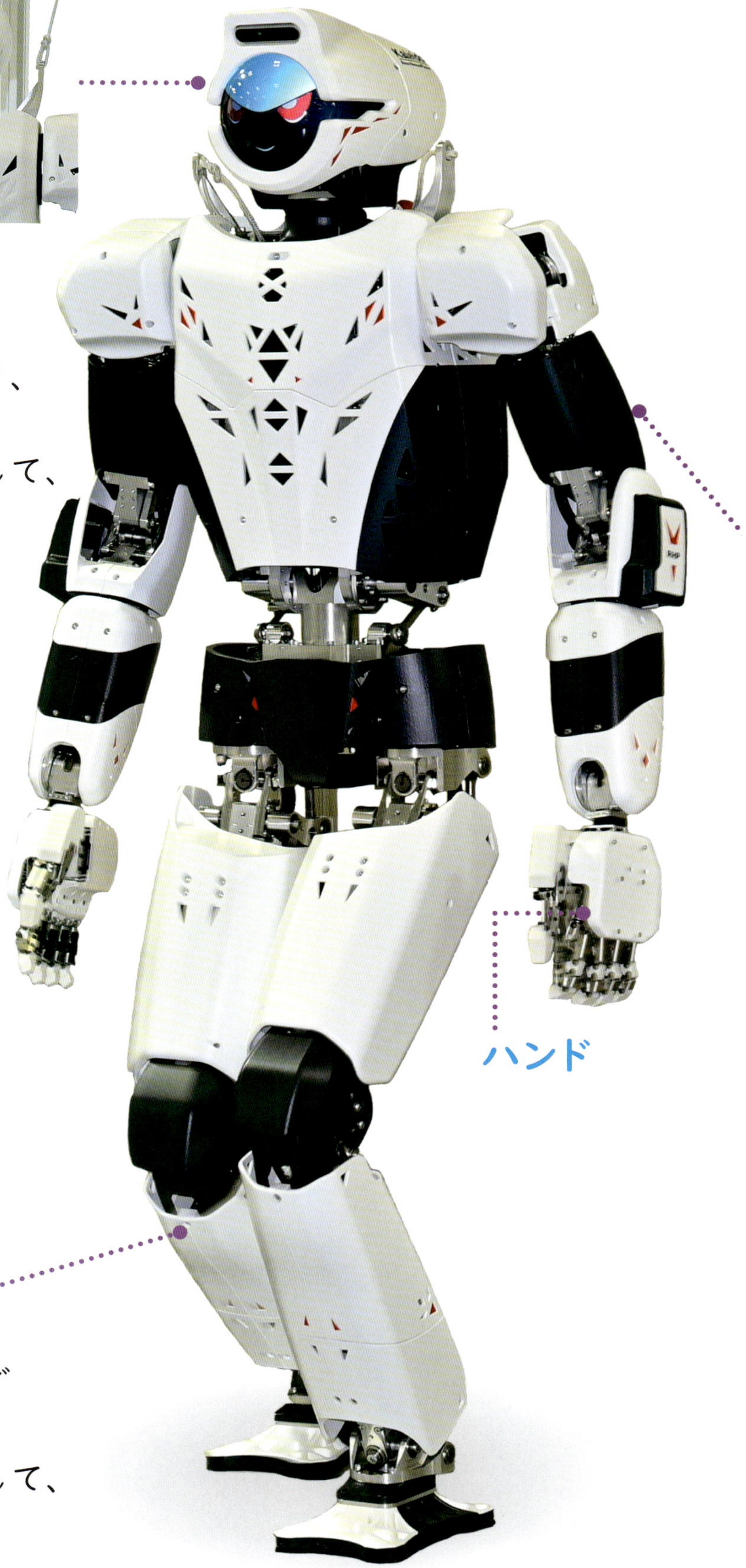

人《ひと》と同《おな》じように うごける二本《にほん》の足《あし》

たてものの上《うえ》のかいや下《した》のかいでうごけない人《ひと》がいる**ときでも、**左右《さゆう》の足《あし》でかいだんを上《のぼ》り下《お》りして、たすける**ことができます。**

Perseverance
パーサヴィアランス

こんなロボットです。

このロボットは、火星《かせい》のひょうめんでちょうさをして**くれるロボットです。**

どんなときに、何《なに》をたすけてくれるのでしょうか。

このロボットがあれば、行《い》くのがむずかしい火星《かせい》をしらべる**ときでも、**えいぞうやデータをあんぜんに手《て》に入《い》れる**ことができます。**

石《いし》や岩《いわ》のせい分《ぶん》をしらべるそうち

ロボデータ

名《な》前《まえ》	Perseverance《パーサヴィアランス》
かいはつ	NASA《ナサ》
大《おお》きさ	高《たか》さ やく220センチメートル
	おもさ やく1025キログラム

はたらいているようすを見《み》よう

遠《とお》くの地形《ちけい》をさつえいするカメラ

❓遠《とお》くにある山《やま》や、
川《かわ》のあとをしらべる**ときに、**
はっきりとよく見《み》える画《が》ぞうを
地《ち》きゅうにとどける**ことができます。**

土《つち》や石《いし》をあつめて ほかんするそうち

❓大《おお》むかしに生《い》きものがいた
ことをしらべたい**ときに、**
土《つち》や石《いし》をサンプルとして
あつめ、分《ぶん》せきしたり、
地《ち》きゅうにおくったり
する**ことができます。**

前方《ぜんぽう》にあるきけんぶつを 見《み》つけるカメラ

空《そら》からしらべるヘリコプター、 インジェニュイティ

SORA-Q
ソラキュー

こんなロボットです。

このロボットは、月《つき》のひょうめんでちょうさをして**くれるロボットです。**

どんなときに、何《なに》をたすけてくれるのでしょうか。

このロボットがあれば、遠《とお》くはなれた月《つき》をしらべる**ときでも、**えいぞうやデータを地《ち》きゅうにいながらすぐに見《み》る**ことができます。**

へん形《けい》するボディ

月《つき》のひょうめんの細《こま》かいすなにうもれそうな場《ば》しょをしらべる**ときに、**小《ちい》さく丸《まる》い形《かたち》から、大《おお》きく走《はし》りやすい形《かたち》にすがたをかえながら、しらべる**ことができます。**

月《げつ》めんをさつえいするカメラ

?空気《くうき》がないようなかこくな場《ば》しょをしらべたい**ときでも、**
きれいなしゃしんをとって
しらべる**ことができます。**

SORA-Q《ソラキュー》を
月《つき》にはこんだ
たんさきSLIM《スリム》

かそくどセンサー

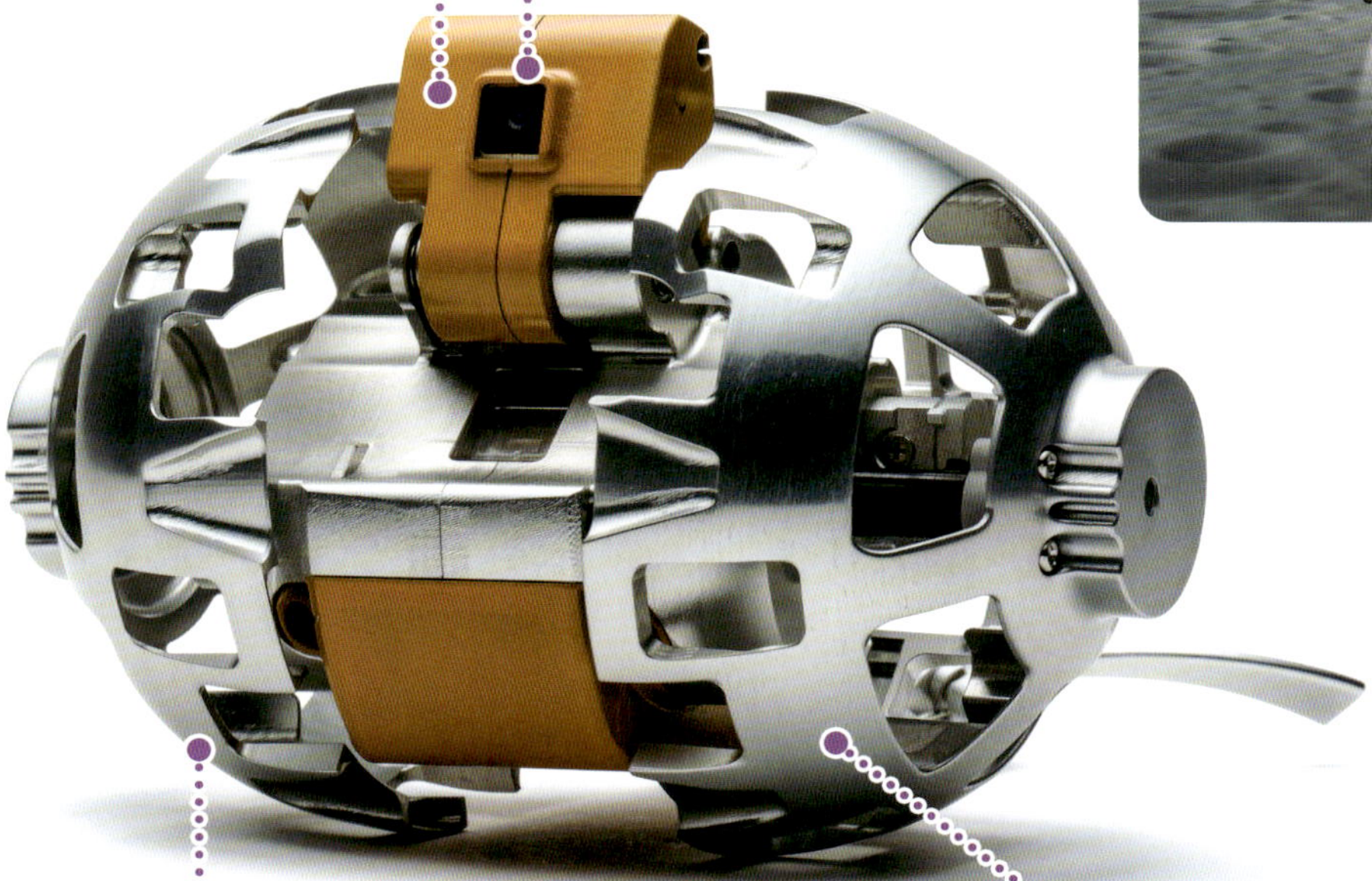

二《ふた》つの走《はし》り方《かた》ができる車《しゃ》りん

?うごきづらい月《つき》のでこぼこしたすなの上《うえ》をちょうさする**ときでも、**
左右《さゆう》の車《しゃ》りんを
かわるがわるうごかしたり、
同時《どうじ》にうごかしたりして、
いどうしながら、
さつえいする**ことができます。**

ロボデータ

名《な》 前《まえ》	SORA-Q《ソラキュー》
かいはつ	JAXA《ジャクサ》/タカラトミー/ソニーグループ/同志社大学《どうししゃだいがく》
大《おお》きさ	直《ちょっ》けい やく8センチメートル
おもさ やく250グラム	

はたらいているようすを見《み》よう

？ あなたは、どんなロボットがあったらいいなと思《おも》いますか？

この本《ほん》を読《よ》んで、ほかに、どんなロボットがあったらいいなと思《おも》いましたか。あなたがしょう来《らい》、作《つく》られてほしいと思《おも》うロボットを、いろいろと考《かんが》えてみましょう。

地《じ》めんの下《した》へふかくもぐってちょうさしてくれるロボット
——地《じ》しんの原《げん》いんやきけんせいを知《し》りたいときにたすかるから

火《か》さいのげん場《ば》へとびこんできゅうじょしてくれるロボット
——火《か》じで人《ひと》がとりのこされたときにたすかるから

ただ今《いま》、かいはつ中《ちゅう》！

人間《にんげん》と同《おな》じうごきでおもいものもはこべるKaleido《カレイド》（22ページ）のぎじゅつをおう用《よう》すれば、しょうぼうしの入《はい》れない火《ひ》の中《なか》から人《ひと》をたすけ出《だ》せるようになるかもしれません。

広《ひろ》い海《うみ》を回《まわ》って
プラスチックごみをあつめて
くれるロボット
——海《うみ》のどうぶつや魚《さかな》のいのちをまもる
活《かつ》どうをするときにたすかるから

田《た》やはたけの
ざっ草《そう》だけをえらんで
ぬきとってくれるロボット
——のう家《か》の人《ひと》が米《こめ》や野《や》さいを
そだてるときにたすかるから

鳥《とり》や虫《むし》、魚《さかな》やどうぶつをすぐそばで
かんさつしてくれるロボット
——生《い》きもののくらし方《かた》をしらべて
ほごの方《ほう》ほうを考《かんが》えるときにたすかるから

水《みず》の少《すく》ないさばくにたくさんの
花《はな》をさかせてくれるロボット
——しょくぶつをふやしておんだんかをふせぐ
活《かつ》どうをするときにたすかるから

つかいおわった
人工《じんこう》えい星《せい》を回《かい》しゅうして
くれるロボット
——うちゅうひ行《こう》しになって地《ち》きゅうの
まわりのき道《どう》を回《まわ》るときにたすかるから

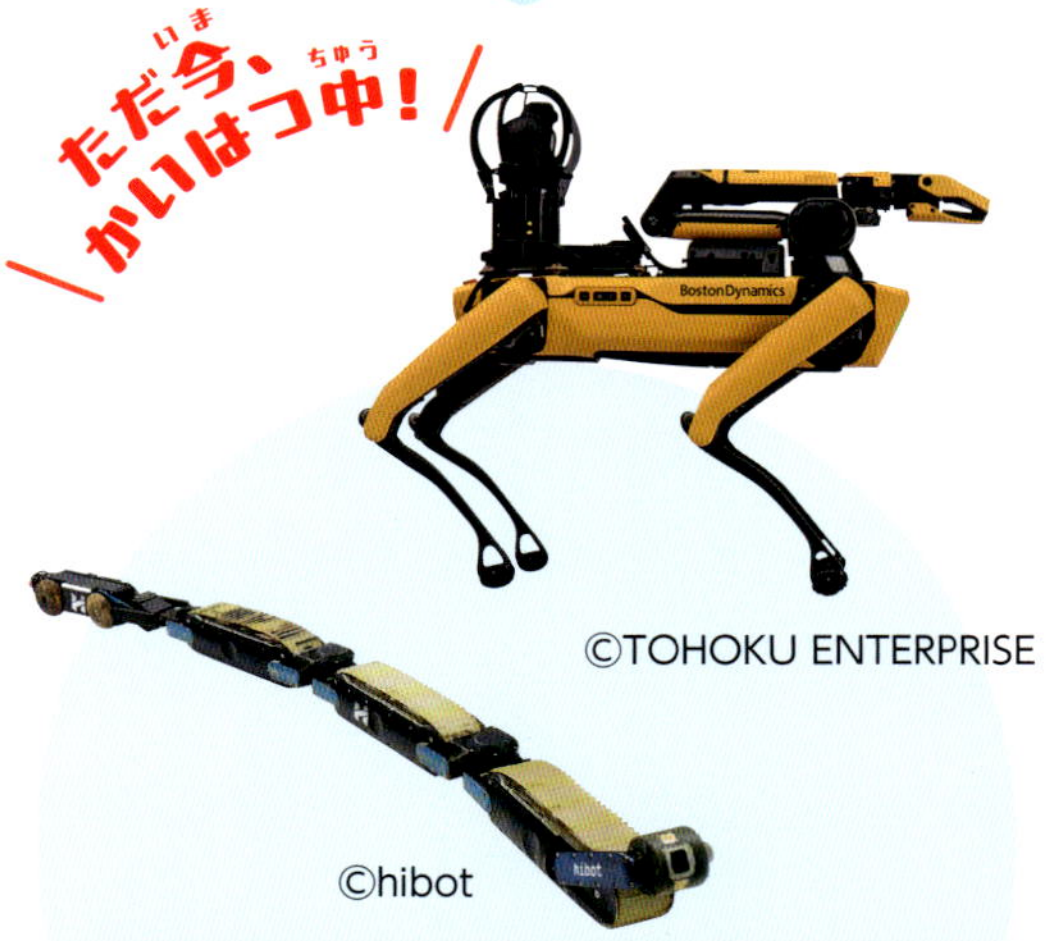
ただ今《いま》、かいはつ中《ちゅう》!
©TOHOKU ENTERPRISE
©hibot

生《い》きもののうごきをまねて作《つく》られたSoryu-C《ソーリュー シー》(8ページ)やSpot《スポット》(10ページ)のぎじゅつをおう用《よう》すれば、おどろかせずに近《ちか》くでかんさつできるようになるかもしれません。

みんなをたすける

ロボットずかん さくいん

(五十音《ごじゅうおん》じゅん)

③ とくべつな場《ば》しょへん

あ

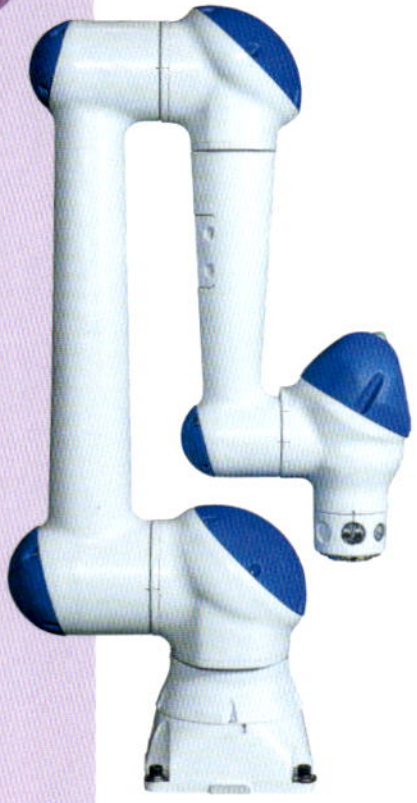

か

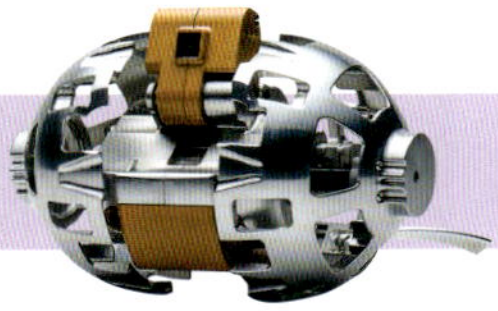

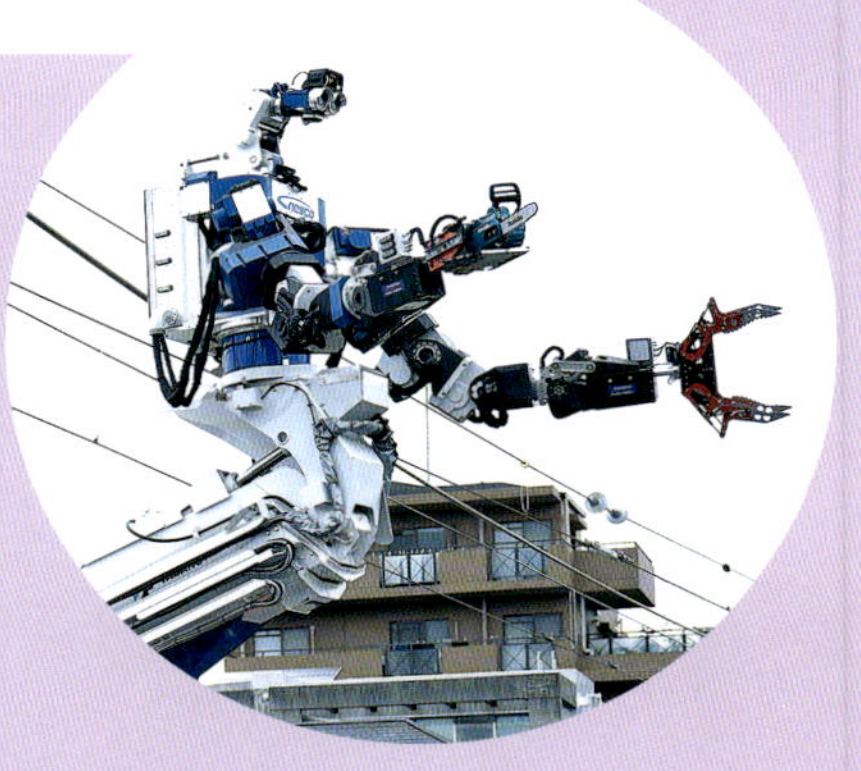

さ

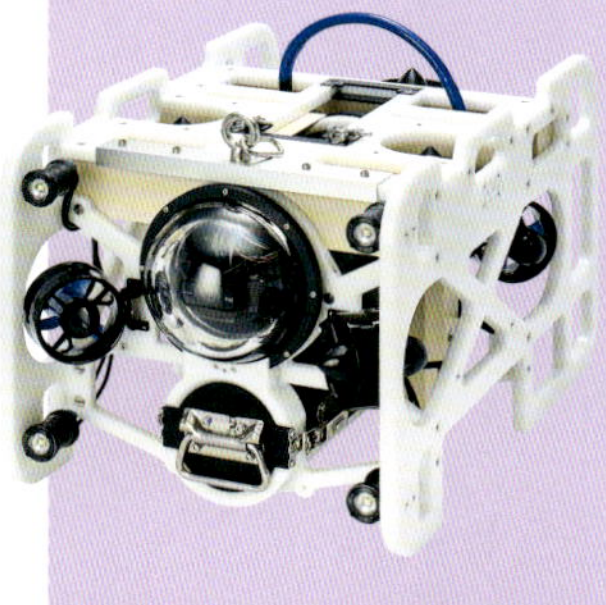

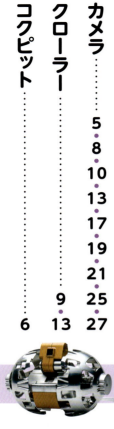

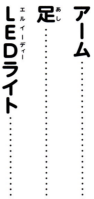

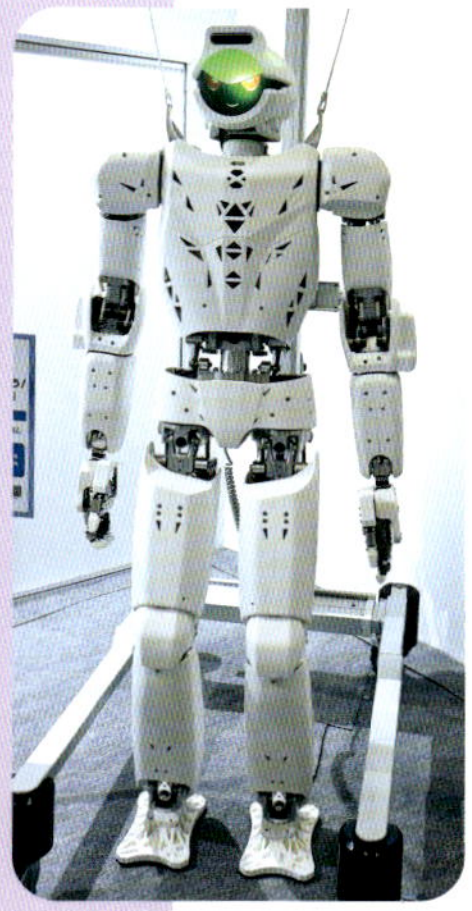

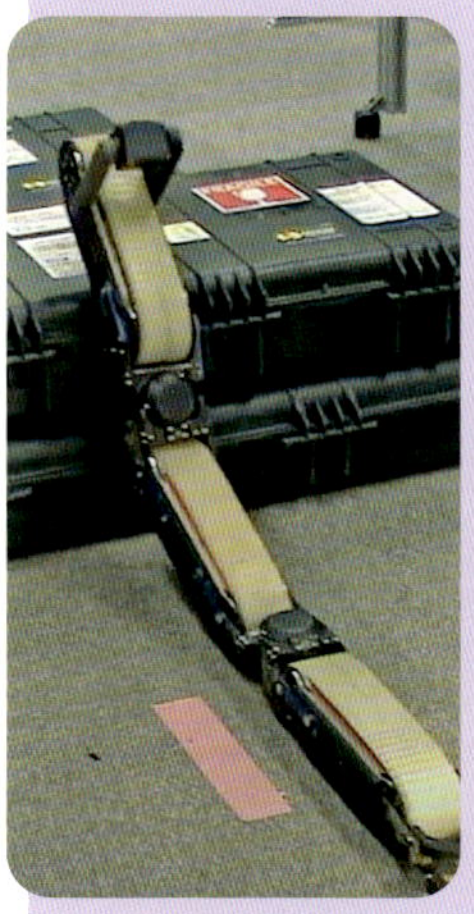

監修
先川原正浩 (さきがわら・まさひろ)

1963年(昭和38年)、東京都生まれ。千葉工業大学未来ロボット技術研究センター(fuRo)室長。千葉工業大学大学院金属工学研究科修士課程修了後、電気電子系の書籍企画・編集に従事し、オーム社の『ロボコンマガジン』編集長を務める。その後、fuRo室長に就任。また二足歩行ロボットによる格闘競技大会「ROBO-ONE」の委員会副代表をはじめ、多くのロボットコンテストの委員・審査員を務めるほか、国立科学博物館の「大ロボット博」関連企画を手がけるなど、子どもたちにわかりやすくロボットを説明・紹介する活動を積極的に続けている。

編集
株式会社クウェスト フォー
入澤 誠　山口邦彦　伊東美保　八田宣子

ブックデザイン
株式会社ダグハウス
佐々木恵実　松沢浩治

編集担当
門脇 大

写真・編集協力一覧
株式会社アクティオ
株式会社NTT e-Drone Technology
鹿島建設株式会社
川崎重工業株式会社
JAXA(宇宙航空研究開発機構)
株式会社人機一体
ソニーグループ株式会社
株式会社タカラトミー
株式会社竹中工務店
学校法人同志社 同志社大学
株式会社東北エンタープライズ
NASA(アメリカ航空宇宙局)
西日本旅客鉄道株式会社
日本信号株式会社
株式会社ハイボット
パナソニック ホールディングス株式会社
ピクスタ株式会社
株式会社FullDepth
Boston Dynamics, Inc.
三菱重工業株式会社
株式会社安川電機

表紙写真一覧
[一段目右より]
Kaleido、AC101 connect、
多機能鉄道重機
[二段目右より]
EX ROVR、Spot
[三段目右より]
DiveUnit300、MOTOMAN-HC、
SORA-Q
[裏表紙]
Soryu-C
[背表紙]
Kaleido

みんなをたすける **ロボットずかん**
③とくべつな場しょ

2025年3月　初版第1刷発行

監修　先川原正浩

編集　株式会社クウェスト フォー
発行者　三谷 光
発行所　株式会社汐文社
〒102-0071　東京都千代田区富士見1-6-1
TEL 03-6862-5200　FAX 03-6862-5202
https://www.choubunsha.com

印刷　新星社西川印刷株式会社
製本　東京美術紙工協業組合

ISBN978-4-8113-3205-5

ワークシート

あなたがあったらたすかるなと思《おも》う ロボット

名前《なまえ》

年《ねん》　組《くみ》

わたしは、

（しらべたロボットの名前《なまえ》を書《か》きましょう）

という
ロボットについて
せつ明《めい》します。

このロボットは、

（何《なに》をしてくれるかをしらべて書《か》きましょう）

くれるロボットです。

このロボットがあれば、

（どんなときにたすけてくれるかをしらべて書《か》きましょう）

ときでも、
（ときに、）

（何《なに》をしてくれるかをしらべて書《か》きましょう）

ことができます。

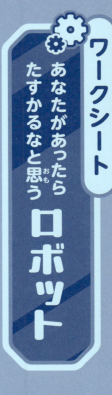